4/6

Communication-Jeunesse
4388, rue St-Denis, bureau 305
Montréal (Québec) H2J 2L1
Tel.: (514) 286-6020
Fax: (514) 286-6093

Nous remercions le Conseil des Arts du Canada,
le ministère du Patrimoine canadien et la SODEC
de l'aide accordée à notre programme de publication.

 Patrimoine   Canadian
canadien   Heritage

Illustration de la couverture
et illustrations intérieures :
Christiane Gaudette

Édition électronique :
Infographie DN

Dépôt légal : 2ᵉ trimestre 2000
Bibliothèque nationale du Canada
Bibliothèque nationale du Québec

123456789 AGMV 0543210

LE MONSTRE DU LAC CHAMPLAIN

DU MÊME AUTEUR
AUX ÉDITIONS PIERRE TISSEYRE

Collection Sésame

Opération Papillon, 1999.

Collection Conquêtes

«Procès sur Vega», dans le collectif de nouvelles
   de l'AEQJ *Entre voisins,* 1997.
«En scène!», dans le collectif de nouvelles
   de l'AEQJ *Peurs sauvages,* 1998.

Aux Éditions Michel Quintin

La poudre magique, 1992.
La fête est à l'eau, 1993.
La machine à bulles, 1994.

Aux Éditions Héritage

Tadam!, 1995.
Mystère et boule de poil, 1995.

Données de catalogage avant publication (Canada)

Guillet, Jean-Pierre

   Le monstre du lac Champlain

   (Collection Sésame ; 23)
   Pour enfants de 6 à 8 ans.

   ISBN 2-89051-754-3

   I. Titre II. Collection.

PS8563.U546M66 2000   jC843'.54   C00-940575-5
PS9563.U546M66 2000
PZ23.G84Mo 2000

JEAN-PIERRE GUILLET

LE MONSTRE
du lac Champlain

roman

ÉDITIONS
PIERRE TISSEYRE

5757, rue Cypihot, Saint-Laurent (Québec) H4S 1R3
Téléphone: (514) 334-2690 – Télécopieur: (514) 334-8395
Courriel: ed.tisseyre@erpi.com

UN INTRUS
DANS LE DORTOIR

Sur la rive du lac Champlain, au milieu d'un grand boisé isolé, se dressent quelques vieilles bâtisses en bois. En cette fraîche soirée d'automne, un groupe de jeunes écoliers y séjournent. Ils sont arrivés depuis peu pour deux jours de classe verte, accompagnés de leur institutrice Maria. Les lumières des dortoirs viennent de s'éteindre. Les jeunes chuchotent nerveusement. Certains ne sont pas rassurés à l'idée de passer cette première nuit dans ce coin perdu, loin de la sécurité du foyer. C'est alors que...

— Hiiiiiiiiiiiiiiiiiiiiiii! Au secours! Hiiiiiiiiiiiiiiii!

Des cris de terreur fusent à l'intérieur du dortoir des filles.

L'institutrice accourt d'une chambre voisine, vêtue d'une ample chemise de nuit de flanelle et le visage barbouillé de crème de beauté.

— Qu'y a-t-il? Quelqu'un est-il blessé? interroge-t-elle d'un air angoissé.

La lueur spectrale de la lune filtre par une fenêtre. Dans la pénombre, des filles courent en tous sens. D'autres se sont réfugiées au deuxième étage des lits superposés. L'une des élèves, Jasmine, brandit son oreiller comme une arme. Elle fixe le dessous de son lit, aux aguets. Ses grands yeux expriment le dégoût le plus total! Elle serait toute pâle... si ce n'était sa peau d'ébène.

— Il... il est caché là, bredouille-t-elle d'une voix blanche.

— Qui? lance l'institutrice. Qui est cach... hééé?

Un reflet très vif se tortille, suivi d'un gros chat qui surgit de sous le lit. Le matou passe comme une flèche entre les jambes de madame Maria et la fait trébucher. Quelque chose de froid glisse alors sur le visage de l'institutrice. Celle-ci hurle de surprise: « Ahhhhhhhhh! » Ses jeunes élèves affolées hurlent de concert avec elle.

L'intrus file, poursuivi par le matou. Ce gros chat gris moucheté de jaune appartient à Jasmine. Il répond (quand il le veut bien!) au nom de Lupin. Il a une drôle d'allure, avec un œil mi-clos et une oreille tombante, séquelles d'une vie aventureuse. Comme les installations du camp sont assez rustiques, Jasmine a convaincu son institutrice de laisser Lupin accompagner le groupe pour chasser d'éventuelles souris.

— Qu'est-ce qui se passe? lance un nouveau venu qui entre en trombe dans le dortoir.

C'est Grégory Grondin, le moniteur responsable du camp. Alerté par tout

ce tohu-bohu, le jeune homme accourt à la rescousse. Il est suivi de près par les garçons de la classe qui occupent le dortoir voisin. Le moniteur ouvre aussitôt un interrupteur électrique et…

— Ohhhhhhhhhhh! font un concert de petites voix.

L'ampoule suspendue au plafond éclaire la scène d'une lumière crue. Enfin, on peut distinguer l'intrus. Lupin a réussi à l'acculer dans un coin.

— Un serpent! crient les écoliers.

Lupin gronde et crache furieusement devant le reptile qui se balance dans un coin, en agitant sa petite langue fourchue.

Madame Maria pose une main sur sa poitrine pour calmer un peu les battements de son cœur. Elle lève l'autre en signe d'apaisement.

— Du calme, les enfants, ce n'est qu'une inoffensive couleuvre!

L'institutrice se relève le plus dignement possible. Elle se hâte d'enlever la crème sur son visage et d'enfiler une robe de chambre. Pendant ce temps, le

11

moniteur écarte Lupin du pied et saisit sans hésitation le petit serpent brun rayé de jaune, suscitant des oh! et des ah! d'admiration craintive chez les jeunes.

— Elle était dans mon lit! s'exclame Jasmine d'une voix frémissante d'indignation. Sous mes couvertures. Je l'ai sentie sous mes orteils! Ouache!

— Elle a du s'introduire ici par une porte mal fermée pour trouver un peu de chaleur, dit Grégory. Tiens, je suis sûr qu'une belle grande fille comme toi n'a pas peur de la toucher…

Jasmine n'a absolument aucune envie de manipuler ce serpent. Mais après ce compliment, elle ne veut pas passer pour une poltronne. D'autant plus que ce Grégory est plutôt séduisant, avec ses cheveux blonds ébouriffés et son sourire engageant.

Jasmine avance prudemment la main tandis que Grégory maintient fermement la couleuvre. La bête n'est pas gluante, contrairement à ce que Jasmine craignait. Les fines écailles qui recouvrent son corps sont sèches, douces et fraîches au toucher. Bientôt, tous les autres élèves se pressent pour la toucher à leur tour.

— Je peux la tenir, dites ? S'il vous plaît ! Laissez-moi la prendre, demande avec insistance un des garçons, un petit rouquin nommé Charles.

Le moniteur accepte et lui passe délicatement le petit serpent. Mais la couleuvre se tortille tellement que Charles la laisse échapper. Oups ! Elle glisse le long de sa jambe et file à l'extérieur par la porte entrouverte. Lupin bondit à ses trousses, mais le reptile se perd dans la nuit.

— Eh bien, dit madame Maria, voilà une façon imprévue de découvrir la

nature qui nous entoure. Nous continuerons demain, une bonne journée nous attend. Pour l'instant, il est assez tard. Tous au lit, allez, ouste!

Tard ou pas, les jeunes bavardent un bon moment avant de trouver le sommeil. Et à peine le silence règne-t-il dans les dortoirs qu'une sorte de beuglement sonore les fait tous sursauter.

Les cris fusent de nouveau: Qu'est-ce que c'est? Un taureau près de la porte?

— Ce n'est qu'un ouaouaron. Une grosse grenouille. Bonne nuit! lance madame Maria de sa chambre, d'un ton sans réplique.

Cela donne une idée à quelqu'un. Une personne qui compte bien se lever avant tout le monde le lendemain pour mettre son plan à exécution.

À l'aube, quand tous les autres dorment encore comme des bienheureux, une silhouette furtive se glisse dehors. En direction du lac. À la recherche d'un ingrédient spécial pour un petit déjeuner surprise. Un ingrédient… sautillant.

Une grenouille dans un bol de céréales, voilà qui serait drôle, non?

Voilà bien une idée tordue au goût de Charles. Le garnement rigole d'avance en songeant à la mine de Jasmine. Oh, c'est une de ses bonnes copines, mais Charles adore jouer des tours… pas toujours de bon goût, hélas!

Où se cachent-elles, ces grenouilles? Charles entend à l'occasion le coassement grave qui semble dire «Oua-ouaron!». Mais dans la grisaille du petit matin, il cherche en vain, autour des flaques d'eau, le long d'un fossé, près de la rive du lac… «Oua-oua…» «Grrrrrrrrr….»

??? «Grrrrrrrrrr»???

Ce n'est pas le chant d'une grenouille, ça! Charles tend l'oreille, intrigué. Une écho lointain monte du lac, au large. Une sorte de… grondement étouffé. Une brume légère flotte sur les eaux glauques, déforme les sons, masque les détails. Le ouaouaron s'est tu. Dans cette ambiance un peu bizarre, le garçon ne se sent pas rassuré, tout à coup. «GrrrRRRRR...» Le grondement se rapproche.

Charles distingue vaguement une ombre dans la grisaille. Quelque chose d'assez grand s'avance sur l'eau. Dans sa direction! Charles sent les poils se hérisser sur sa nuque. Il retient son souffle, immobile comme une pierre. Qui... ou QUOI peut bien se balader sur le lac, dans la brume, à cette heure?

2

LA BÊTE
LÉGENDAIRE

« **G**RRRrrrrrr… » l'ombre inquiétante passe devant Charles et disparaît derrière un cap de la rive. Le grondement cesse. Ouf! Charles pousse un soupir de soulagement, avance d'un pas… et manque hurler de terreur.

Quelque chose bondit juste sous ses pieds. C'est… une énorme grenouille!

« …RON! » PLOUF! D'un saut prodigieux, le ouaouaron plonge dans le lac.

Tant pis pour les céréales aux grenouilles, décide Charles. Assez d'émotions pour ce matin. De toute façon, ce monstrueux ouaouaron est bien trop gros pour le bol!

Le jeune garçon regagne le camp, tout en s'interrogeant sur cette ombre mystérieuse qu'il a entrevue. L'embarcation d'un pêcheur matinal, peut-être? Mais Charles n'est pas encore au bout de ses surprises. Comme il approche du camp, un bruit lui fait dresser l'oreille.

Flac… floc… Il entend des pas. Des bottes de caoutchouc dans la vase. Un homme marche le long de la rive. Cigarette au bec, il porte un gros sac de hockey en bandoulière et est vêtu d'un survêtement kaki bariolé, comme les commandos de l'armée. Il s'arrête devant un cabanon près du camp.

— Bonjour! dit Charles.

Il a reconnu Grégory. Surpris, le jeune homme se retourne en sursaut et en lâche sa cigarette. Mais il se détend aussitôt en apercevant le garçon. Le moniteur lui décoche un sourire jovial.

— Salut, mon gars! répond-il d'un ton enjoué. Qu'est-ce que tu fais debout à cette heure? Ton institutrice est au courant?

— Euh... non, je cherchais des grenouilles pour.... hum! Est-ce que vous devez lui dire?

— Tu peux me tutoyer, voyons... et je sais garder un secret... si tu m'expliques.

Charles lui dévoile son projet de céréales sautillantes et le moniteur trouve l'idée bien drôle. Il adresse un clin d'œil complice au garçon.

— Tu m'as l'air d'un joyeux luron, Charlie. Confidence pour confidence, moi aussi. C'est mon travail ici de faire de l'animation et la couleuvre, hier... eh bien, c'est moi qui l'ai mise là! Mais chut, hein! Ça reste entre nous!

Charles en reste bouche bée... puis éclate de rire. Il rigole un bon moment avec le moniteur en se remémorant le brouhaha de la veille. Puis il parle à Grégory de l'ombre sur le lac.

— L'as-tu vue, toi aussi? demande le garçon.

— Moi? Non, j'arrive du bois. Je…
j'enregistrais… des grenouilles, juste-
ment, pour une conférence ce soir. Mais
c'est inquiétant, ce que tu me dis. Il y a
des légendes qui courent par ici au
sujet d'une bête mystérieuse, dans ce
lac!

Charles écarquille les yeux, stupé-
fait. Mais Grégory ne veut pas en dire
plus pour le moment.

— J'expliquerai ça à ton groupe plus
tard. D'ici là, motus et bouche cousue,
Charlie. Il ne faut pas trop les inquiéter.
Allez, rentre avant que le prof ne re-
marque ton absence!

Charles regagne le dortoir, ni vu ni
connu. Après un solide petit déjeuner,
le moniteur vient chercher les enfants.
Grégory a préparé tout un programme
d'activités pour la classe verte. Ran-
donnée pédestre, hébertisme, initiation
à la boussole, chasse au trésor, jeux sur
la plage, canotage… c'est une belle
journée bien remplie.

L'institutrice initie ses élèves aux sciences naturelles et leur apprend les noms des arbres et des oiseaux. Quant à Greg, il excelle dans tous les sports. Svelte, musclé, jovial… les garçons le trouvent sympathique tandis que les filles (et même madame Maria) le trouvent bien beau!

À midi, on pique-nique en pleine nature. Le groupe s'installe sous de grands érables parés de leurs couleurs d'automne, sur une colline où la vue porte loin sur le lac Champlain. Madame Maria en profite pour faire un peu d'histoire et de géographie avec sa classe.

— Ce lac a été nommé en l'honneur de l'explorateur français Samuel de Champlain, dit-elle. Il chevauche la frontière canado-américaine. Autrefois, des contrebandiers passaient par ici pour faire du trafic d'alcool.

— Il paraît, intervient Grégory, que Champlain serait le premier à avoir aperçu une étrange créature dans ce lac. Une sorte de reptile géant.

Tous les regards se braquent sur le jeune homme.

— Plusieurs personnes ont aperçu à diverses reprises ce… monstre dans le lac, poursuit le moniteur. On n'a jamais pu le capturer.

Cette affirmation stupéfiante déclenche aussitôt un concert d'exclamations et une grande agitation parmi les enfants, on s'en doute. Madame Maria apaise tant bien que mal sa petite troupe.

— Allons donc, Greg! Ce sont des racontars, tout ça. Les gens ont trop d'imagination, voilà tout.

N'empêche, les enfants jettent de fréquents coups d'œil vers le lac tout le reste de l'après-midi. Charles, qui a eu un mal fou à tenir sa langue depuis le matin, raconte son expédition matinale à Jasmine. Évidemment, elle grimace à l'idée des céréales aux grenouilles (ce dont Charles est plutôt fier). Quand il mentionne l'ombre mystérieuse, peut-être celle du monstre, Jasmine est épatée. Mais elle ne veut

absolument pas croire que Greg a introduit la couleuvre dans le dortoir.

— Greg est trop gentil pour faire ça!
s'offusque-t-elle. Tu dis ça pour te
rendre intéressant. À moins que tu ne
l'aies mise là toi-même, cette couleuvre? Ce serait bien ton genre!

3

APPARITION
AU CRÉPUSCULE

La cuisinière du camp a préparé un repas du soir copieux à souhait pour les jeunes affamés par le plein air. Un tableau d'affichage, dans la cafétéria, indique l'emploi du temps des campeurs. Pour la soirée, un mot étrange y est inscrit: «Herpétologie». C'est l'écriture de madame Maria. Aux élèves qui l'interrogent avec curiosité, l'institutrice répond d'un air mystérieux:

— Le seul indice que je peux vous donner, c'est de garder votre sang froid… comme les bêtes sauvages que nous allons rencontrer !

Maria conduit ses élèves dehors, sur la berge du lac. Les derniers reflets du soleil couchant miroitent sur l'eau. C'est l'heure entre chien et loup où il ne fait plus très clair, mais pas encore noir.

Intrigués, les élèves prennent place sur des bancs de bois devant une petite estrade. Un son grave résonne alors dans le crépuscule : « Kwak ! Kwak ! Kwak ! » Les jeunes campeurs se regardent, surpris de cette étrange clameur. Soudain, un jet de lumière fend l'air. Un être masqué surgit devant eux.

C'est… une grenouille ! L'image d'une grenouille masquée projetée sur un écran. Grégory Grondin actionne le projecteur. Devant lui, un magnéto-phone reproduit le concert des batra-ciens. « Kwak ! Kwak ! »

— Je vous présente la grenouille des bois, aussi surnommée grenouille masquée, dit l'institutrice. Grégory m'a gentiment fourni un enregistrement de leur chant afin d'accompagner les diapositives.

«Kwak! Kwak!» Madame Maria explique que ce sont des chants d'amour : les messieurs grenouilles chantent de leur plus belle voix pour attirer les demoiselles grenouillettes!

— Après notre mésaventure d'hier soir, dit-elle, j'ai pensé que vous seriez intéressés d'en apprendre un peu plus sur l'herpétologie... c'est à dire la science qui étudie les amphibiens et les reptiles.

Grégory fait défiler à l'écran les images de plusieurs espèces de grenouilles, salamandres, tortues et couleuvres. L'institutrice raconte à son jeune auditoire toutes sortes d'anecdotes intéressantes à leur sujet.

Même Charles, habituellement peu studieux, est tout yeux tout oreilles. Ces bestioles plus ou moins répugnantes, voilà un sujet propre à le captiver! Il faut dire aussi qu'en pleine nature, à la brunante, l'ambiance est autrement plus spéciale que dans une salle de classe. Pourtant, à un moment donné, il fronce les sourcils. Un détail le turlupine.

À la fin, les élèves applaudissent leur professeur. Madame Maria remercie Greg Grondin de son assistance. Celui-ci range le projecteur et glisse le magnétophone dans un sac à dos. Charles va le trouver et pointe le sac du doigt.

— Tu as enregistré les grenouilles masquées ce matin avec ça ?

Distraitement, Greg fait signe que oui. Mais il n'a pas le temps d'en dire plus, car déjà madame Maria le réclame :

— Grégory va maintenant nous préparer un feu de camp, annonce-t-elle, déclenchant des exclamations de joie chez ses élèves.

Le moniteur a déjà disposé des bûches sur la grève. Il craque une allumette et, bientôt, de belles flammes dansent au son des crépitements du bois. Il met un chaudron sur le feu pour préparer du chocolat chaud et ouvre un immense sac de guimauves à faire dorer sur les braises. Les enfants sont ravis !

Son boulot achevé, Greg se retire pour aller griller une cigarette. C'est madame Maria qui prend en charge sa petite troupe.

— Si nous chantions? propose-t-elle.

Une belle cacophonie s'ensuit, qui n'a rien à envier aux chorales des grenouilles. Madame Maria a une voix puissante, pleine d'entrain, et les élèves chantent joyeusement à tue-tête. Même Lupin miaule en chœur. Quelques indésirables, non invités, ajoutent aussi leur concerto aigu au concert: paf! Charles en écrase un sur son front.

— Crois-tu que les maringouins piquent aussi les animaux à sang froid? demande-t-il à Jasmine.

Mais la fillette, les yeux écarquillés, ne répond pas. Elle se dresse d'un bond et pointe le lac du doigt.

— Là, là! crie-t-elle.

— Pas lala, lon-la, corrige madame Maria, interrompue au milieu d'un refrain.

— Non, là, sur le lac, regardez! Qu'est-ce que c'est?

Tous regardent dans la direction indiquée par Jasmine. Charles et les autres élèves se lèvent à leur tour, ébahis. Les exclamations fusent.

— Qu'est-ce que c'est que ça?

— Une sorte de serpent géant!

— Un serpent de mer!

— Ce n'est pas la mer, idiot!

— Il a des cornes!

— C'est un monstre!

— Le monstre du lac Champlain!

En effet, à quelques centaines de mètres, une étrange silhouette se profile sur l'eau, fantomatique dans les dernières lueurs du jour. Son long cou fend les eaux grises. L'animal se déplace lentement près de la rive, pendant plusieurs minutes. À en juger par son encolure, le reste du corps immergé doit avoir une taille imposante!

L'agitation est à son comble parmi les enfants. Tous poussent des cris. Madame Maria s'efforce en vain de les calmer. Certains courent se réfugier dans les dortoirs du camp. Jasmine sort

les petites jumelles qu'elle avait appor-
tées pour observer les oiseaux durant
son séjour. Charles, lui, s'élance impé-
tueusement vers la rive.

4

Pléiosaure

UN PLÉIOSAURE !

— Il a disparu! s'exclame Charles, en équilibre sur un rocher.

En effet, l'animal a contourné un cap couronné de sapins qui le masque à leur vue.

Zut! Jasmine venait juste de le repérer dans ses jumelles... mais elle n'a pas eu le temps de parfaire la mise au point.

Madame Maria et la plupart des élèves vont rejoindre Charles sur la rive. Seul Lupin est resté complètement indifférent à toute cette agitation. Il rôde autour du cabanon, flairant Dieu sait quoi!

Pendant plusieurs minutes, de multiples paires d'yeux scrutent les eaux du lac Champlain. Le moindre remous, le plus petit reflet sous les eaux... Mais le soir tombe. On ne distingue presque plus rien. Les commentaires vont bon train.

— C'est incroyable, on l'a vu, le monstre du lac Champlain!

— Wow! Super! Quand je vais dire ça à mes parents!

— J'ai... j'ai froid, si on rentrait?

— Peureux!

— Il est peut-être dangereux!

L'esprit enflammé par cette nouvelle apparition du monstre, Charles ne veut pas en rester là.

— Allons à sa recherche, propose-t-il. Emportons des lampes de poche! Des appareils photo!

— Non... je préfère que vous ne vous aventuriez pas trop près de l'eau dans l'obscurité, dit madame Maria en hochant la tête. C'était peut-être… une sorte de mirage?

L'institutrice regroupe sa marmaille autour d'elle. Elle essaie de se faire rassurante, mais on sent qu'elle-même est troublée.

Une bourrasque venue du lac attise le feu de camp et fait danser des ombres inquiétantes autour de la troupe. Au-delà, les ténèbres les entourent. Les bûches achèvent de se consumer et il commence à faire frisquet. Les jeunes échangent des regards inquiets. Il reste encore du chocolat chaud et des guimauves, mais l'émotion leur a coupé l'appétit. D'un commun accord, ils décident de rentrer.

À l'intérieur du camp, ils retrouvent Grégory. Tout excités, les enfants lui racontent ce qu'ils ont vus. Greg est ébahi, et désolé d'avoir manqué ça!

— Je crois me souvenir qu'il est question du monstre dans un de ces bouquins, leur dit-il en désignant une grande étagère dans un coin.

Le moniteur fouille sur les rayons où s'entasse tout un bric-à-brac: jeux de

société, collection de cailloux, guides de nature, romans défraîchis, bandes dessinées aux couvertures écornées... Enfin, il brandit une brochure publiée par le bureau touristique local: *La créature du lac Champlain.*

Quel titre intrigant! Les enfants feuillettent avidement les pages.

— Regardez! il y a une photo!

— Un cou, une tête sombre... Ça ressemble à ce qu'on a vu!

— C'est plutôt flou...

— Écoutez ça: plus de trois cent personnes ont déjà aperçu cette créature!

— Le cirque Barnum a offert une récompense de 50 000$ pour sa capture!

— Oui, mais des lois ont été votées pour le protéger si jamais on le trouve...

— Wow! Certains pensent que c'est un animal préhistorique, un pé... euh...

— Un plé-i-o-sau-re!

Stupéfaction générale parmi les enfants. Le livre illustre un grand reptile préhistorique muni de nageoires, en train de dévorer des poissons. Il vivait dans la mer à une époque où l'océan Atlantique s'étendait jusqu'au lac Champlain. Mais selon les scientifiques, les pléiosaures ont disparu depuis soixante-cinq millions d'années. C'est pourtant ce qu'ils ont vu de leurs yeux vu!

— Comment a-t-il pu survivre des millions d'années? Il est super-vieux!

— Ça doit pas toujours être le même... il se reproduit.

— Alors, faut qu'il y en ait au moins deux... et une famille, peut-être tout un troupeau!

Sportif dans l'âme Charles s'attarde sur une autre photo représentant... un stade de baseball! Dans les estrades, un personnage costumé fait des pitreries devant la foule. C'est une mascotte déguisée... en monstre!

— Regardez, c'est la mascotte d'une équipe de baseball du coin, les Expos... du Vermont! Devinez le nom qu'on lui a donné, à ce monstre: Champ! C'est champion!

Les conversations vont bon train encore longtemps et pour la seconde soirée consécutive, madame Maria a bien des difficultés à envoyer tout son petit monde au lit. Enfin, à une heure assez tardive, le silence tombe sur le camp. Mais les enfants trouvent difficilement le sommeil. Deux d'entre eux, en particulier.

Contrairement à ses habitudes, Charles est plongé dans la lecture d'un livre sérieux. Un détail continue de le tracasser. Sous les couvertures, à la lueur d'une mini-lampe de poche, il potasse un guide sur les amphibiens et les reptiles, trouvé sur l'étagère à bric-à-brac.

Quant à Jasmine, dans le dortoir des filles, elle contemple le lac par la fenêtre, songeuse. Des écharpes de brume luisent d'un éclat fantomatique sous la lune. On s'attendrait presque à voir un reptile préhistorique surgir hors de l'eau. Pensivement, elle flatte son chat. Et à son tour, elle décide de se lever avant les autres le lendemain.

5

RENCONTRE
À L'AUBE

Le pléiosaure tourne la tête vers Jasmine et la regarde fixement de ses petits yeux froids de reptile. Alors, son cou dégoulinant émerge du lac. C'est un long cou, très long, incroyablement long, qui ondule et s'étire comme un serpent vers Jasmine. Elle veut courir, mais ses jambes pèsent une tonne, elle se déplace comme au ralenti. Elle sent la bête qui frôle son dos, elle sent sa chaleur, elle l'entend... ronronner comme un moteur???

Jasmine écarquille les yeux. Soupire de soulagement. Lupin! Ce cher vieux Lupin, pelotonné sur son lit! Elle le caresse affectueusement, puis repousse les couvertures.

— Viens, mon chat, on se lève, chuchote-t-elle. Je compte sur ton flair pour me prévenir s'il y a du danger, hein?

Vite, avant d'oublier sa résolution, la fillette s'habille et sort en silence.

Quand Jasmine revient au camp, un peu plus tard, un petit sourire satisfait flotte sur son visage.

Soudain, près du cabanon, Lupin s'immobilise, dresse l'oreille, hume l'air, fixe la remise de son œil de lynx. Il s'avance à pas de félin. Jasmine, alertée, le suit avec précaution.

Et tombe nez à nez avec quelqu'un caché derrière le cabanon!

!!!

Leur cœur à tous les deux ne fait qu'un tour. Ils en ont le souffle coupé. Ils manquent de hurler… de rire!

— Charles! Qu'est-ce que tu fais là?

— Je surveillais par la fenêtre tout en écoutant les ouaouarons, explique le rouquin. J'ai cru voir quelqu'un dehors. C'était donc toi!

— Qu'est-ce que tu surveillais?

— Euh… une idée, comme ça… tu ne me croirais pas. Je t'expliquerai si je trouve des preuves. Et toi? Pourquoi es-tu sortie?

Un éclat triomphal brille dans les yeux de la fillette. Elle bombe le torse, redresse le menton.

— J'ai longé le lac jusqu'à l'endroit où on a vu disparaître le monstre, hier soir. Et alors…

Elle fait durer le suspense, le sourire fendu jusqu'aux oreilles.

— Devine…

— Quoi? Je donne ma langue au chat!

— J'ai découvert son repaire, déclare fièrement Jasmine. J'ai trouvé le monstre du lac Champlain!

LA DOMPTEUSE

Déjà, le séjour au camp tire à sa fin. Vers midi, un autobus viendra chercher les enfants, pour le voyage de retour à la maison. Divisés en grandes tablées, les campeurs ont droit à un dernier brunch copieux. Bien entendu, la plupart des conversations tournent encore autour du monstre fabuleux aperçu la veille. Untel affirme que la créature crachait le feu ; un autre a discerné le cadavre d'un animal dans sa gueule ;

45

une autre encore jure qu'un lutin difforme chevauchait le monstre.

Curieusement, Jasmine n'a soufflé mot de sa trouvaille à personne d'autre que Charles. D'ailleurs, elle s'est éclipsée discrètement peu avant la fin du repas. Charles, contrairement à ses habitudes, reste silencieux, bien sagement assis devant la grande baie vitrée de la cafétéria. Comme s'il attendait quelque chose…

Soudain, le garçon se lève d'un bond. Il pointe le lac du doigt :

— Regardez ! Il est là, le monstre !

Cris et stupeur dans la salle. Madame Maria et ses élèves se précipitent à la fenêtre. Greg aussi, l'air complètement ébahi. Oui, quelque chose bouge sur le lac, à peu près à l'endroit où la veille on a perdu de vue la créature. On ne le voit pas très distinctement, à cause du contre-jour et des mille reflets qui dansent sur l'eau, mais… pas d'erreur possible ! C'est bien le long cou du monstre qui émerge de l'eau. Il longe la rive de près, très lentement, un peu hésitant, dirait-on. Il nage en direction du camp !

L'excitation atteint son paroxysme. Mais soudain, les cris des enfants passent de la stupeur… à la rigolade!

Les jeunes campeurs se précipitent sur la berge, à la rencontre du monstre qui s'approche en grondant : grrr-RRRRR. Ou plutôt… à la rencontre d'un gros tronc d'arbre qui flotte sur l'eau, propulsé par un petit moteur électrique!

Eh oui! le fameux monstre du lac Champlain n'est qu'un vulgaire billot de bois! L'une des branches qui se dresse hors de l'eau a vaguement la forme d'un long cou surmonté d'une tête cornue. Sur les flancs du «monstre», quatre grosses lettres sont peintes en blanc : C-H-A-M-P.

Assise dans une cavité creusée au milieu du tronc, une jeune créature a dompté la bête. Elle salue les campeurs de la main. C'est… Jasmine!

Elle arrête le moteur et le «monstre» glisse doucement jusqu'à la rive. La fillette enlève son gilet de sauvetage et rejoint ses camarades, qui l'étourdissent aussitôt de mille questions.

— Hier, j'ai entrevu le tronc avec mes jumelles, avoue-t-elle. Je n'étais pas tout à fait sûre d'avoir bien vu. Mais comme Lupin ne s'occupait pas du tout du monstre, j'en ai conclu qu'il ne devait pas être bien méchant.

Les questions fusent de plus belle. Qui le conduisait? Qui a eu cette idée?

— Eh bien... il y a quelqu'un ici chargé de faire de l'animation. Je n'étais pas convaincue quand Charles m'a parlé du coup de la couleuvre, mais ce matin, quand j'ai trouvé un paquet de cigarettes vide au fond du billot, j'étais sûre de connaître le responsable...

Tous les regards se braquent sur le moniteur. Celui-ci, un peu en retrait, fume tranquillement, un petit sourire aux lèvres.

— Bravo, ma grande, dit-il enfin. Tu as bien deviné. CHAMP, c'est le clou du camp!

— Si je comprends bien... vous nous avez fait avaler des couleuvres! s'exclame madame Maria.

— Je voulais mettre un peu de piquant dans votre séjour. Avouez que j'ai réussi! répond Greg en riant. Je vous aurais tout avoué à la fin, bien sûr. Je comptais ramener CHAMP ici, juste avant votre départ. Mais cette brillante jeune fille a devancé mon punch.

Jasmine se rengorge, fière d'avoir pu impressionner Greg. Quel original, celui-là! Elle est prête à pardonner bien des choses au séduisant jeune homme, même sa mésaventure au dortoir.

— Charles y est aussi pour quelque chose, ajoute modestement Jasmine. Quand il m'a dit t'avoir vu hier matin, juste après avoir entendu le monstre, ça m'a mis la puce à l'oreille!

— Comment ça, hier matin? questionne l'institutrice.

— Je... euh... je vérifiais CHAMP, bafouille Greg en écrasant nerveusement sa cigarette. Voir si tout était en ordre...

Curieusement, le moniteur semble avoir perdu sa belle assurance. Madame Maria balaie du regard sa petite troupe.

— Au fait, où est-il, notre Charl..., commence-t-elle.

Juste à ce moment-là, un cri étouffé se fait entendre.

«Aidez-moi!»

— C'est la voix de Charles! s'exclame Jasmine. Ça vient de là-bas!

Jasmine pointe le cabanon. L'institutrice et tous ses élèves se précipitent dans cette direction, très inquiets, tandis que les cris continuent de plus belle:

«À l'aide!!!»

DUEL
DE MONSTRES

«**A**u secours!»

La voix provient de l'intérieur du cabanon. Les écoliers arrivés les premiers essaient en vain d'ouvrir la porte, fermée par un gros cadenas. Madame Maria suit non loin derrière, haletante. Elle martèle anxieusement la porte, toute essoufflée.

— Cha... ouf! Charles, réponds! Es-tu... ouf!... blessé?

— Euh... pas vraiment, juste une écorchure au genou, répond le gamin derrière la porte, à leur grand soulagement. Sauf que... je n'arrive plus à sortir.

— Comment es-tu entré ?

— Eh bien... il y avait une tôle mal fixée sur le toit du cabanon... j'ai sauté... mais je ne suis pas capable de remonter jusque-là de l'intérieur.

— Mais que fais-tu là, pour l'amour du ciel ? s'exclame l'institutrice.

— Ouvrez... je vais vous montrer.

Maria se retourne, cherchant des yeux celui qui possède la clef.

— Greg, voulez-vous ouvrir, s'il vous pl... Mais... qu'est-ce qu'il fait ?

Grégory court à toutes jambes dans l'eau et saute sur le dos du pseudo CHAMP. GRRRRRRRRRR, il met en marche le moteur électrique à la puissance maximale.

— Grégory ! Revenez ici tout de suite ! s'époumone l'institutrice, avec toute l'autorité dont elle est capable.

Peine perdue ! Le billot s'éloigne au milieu du lac. Greg s'enfuit. Mais pourquoi donc ?

Juste à ce moment, un événement extraordinaire survient.

— Regardez! s'écrie Jasmine en pointant le large. Qu'est-ce que c'est que ça?

Il y a comme un bouillonnement à la surface de l'eau. Une sorte de grand remous. Le billot de Greg est dévié de sa course. Puis, soudain, une grosse masse sombre surgit des profondeurs, dans un jaillissement d'écume.

Tout se passe très vite. Crash! Le billot de Greg heurte la chose, bascule. La masse sombre et dégoulinante plonge de nouveau, éclaboussant la surface, soulevant de grandes vagues qui viennent se briser sur la rive.

— Greg! murmure Jasmine, la gorge nouée. Est-il…?

Tous fixent anxieusement le large. Le billot a roulé sur lui-même. Il flotte entre deux eaux, ballotté par les vagues.

— Dieu soit loué, il est vivant, s'écrie madame Maria.

La tête de Greg émerge de l'eau. Il s'agrippe au billot. Le tronc, poussé par la houle, vient s'échouer à quelques pas du rivage. Madame Maria enlève ses souliers, relève sa longue jupe fleurie et va chercher Greg. L'eau est glaciale, en cette saison. Le moniteur a une vilaine écorchure au front, il est sonné et transi de froid. Il s'affale sur la rive. Les élèves se pressent autour de lui.

— Le monstre…, balbutie Greg, l'air hagard. Le vrai monstre!

Le pauvre garçon tombe dans les pommes. L'institutrice et les plus costauds de ses élèves le ramènent tant bien que mal au camp. Madame Maria se hâte d'appeler une ambulance.

Des coups résonnent de l'intérieur du cabanon.

— Eh quoi, vous m'oubliez? lance une voix impatiente. Qu'est-ce qui se passe?

Un élève trouve une échelle, qu'on arrive à faire passer par l'échancrure du

toit. Charles remonte lentement, portant un lourd fardeau : un gros sac de hockey. Enfin, il ouvre le sac et, d'un geste théâtral, exhibe… un carton de cigarettes.

— Il y en a plein, là-dedans ! dit-il.

D'après les ambulanciers, Greg va s'en tirer sans trop de mal. Quelques points de suture au front et peut-être un gros rhume suite à son bain glacial.

Les ambulanciers ont aussi prévenu la police, à cause des cigarettes. Il y en avait plusieurs caisses empilées dans le cabanon. Greg faisait de la contrebande de tabac entre le Canada et les États-Unis ! Le jeune homme profitait de son emploi au camp et de la proximité de la frontière pour se livrer à ce trafic lucratif. Il avait trouvé un moyen ingénieux pour transporter illégalement les cigarettes, en les cachant au fond du billot creux. Les douaniers savaient que ce jeune homme sympathique utilisait CHAMP pour animer les camps de vacances. Jamais ils ne l'auraient soupçonné!

Les policiers sont venus cueillir Grégory au camp. Bon prince, Greg a eu un mince sourire pour les enfants avant de monter dans l'auto de police.

— Bravo, les jeunes! Vous étiez trop forts pour moi... avec le monstre comme allié. Qu'est-ce que je pouvais faire contre ça!

— Ils vont le punir? Ils ne seront pas trop sévères avec lui? s'inquiète Jasmine, les larmes aux yeux.

Madame Maria, assez émue elle aussi, la console de son mieux.

— Eh bien, peut-être un peu de prison, ou une grosse amende. Nous lui écrirons. Ce n'est pas un mauvais garçon, dans le fond.

Jasmine lève vers l'institutrice des yeux ronds comme des soucoupes.

— C'est vraiment le monstre qui l'a arrêté? J'ai mal vu, ça s'est passé trop vite et ils étaient loin...

Madame Maria hésite.

— Eh bien... Greg a pu être victime d'une hallucination à cause du choc qu'il a reçu sur la tête? C'était peut-être tout simplement un autre billot englouti que des courants ont fait remonter en surface?

L'institutrice se tourne vers Charles.

— Et toi, jeune détective, comment as-tu découvert le manège de Grégory?

— *Oua-ron*, pas *kwak*!

— Pardon? Quelle langue parles-tu là?

— La langue de grenouille! L'autre matin, j'ai entendu un ouaouaron. Greg m'a dit qu'il enregistrait des grenouilles masquées, *kwak! kwak!* Ça se peut pas! J'ai bien écouté votre conférence, madame, et j'ai même vérifié dans un bouquin...

— ... les chants d'amour des grenouilles masquées ont lieu au printemps, complète madame Maria, pas en automne. Tu as raison! En fait, l'enregistrement fait partie du matériel du camp et provient d'une boutique de nature.

— Alors je me suis dit: il n'est pas fiable, ce gars-là. Ce n'est pas un petit sac à dos pour le magnétophone qu'il trimbalait, mais un gros sac de hockey. Et Lupin fouinait souvent autour du cabanon, comme s'il flairait quelque chose. Ça m'a donné l'idée d'aller vérifier...

Comme si Lupin n'attendait que ce moment pour intervenir, un remue-ménage se fait soudain entendre dans le cabanon. Le gros matou s'est introduit à l'intérieur par la tôle disjointe du toit. Il a bel et bien flairé anguille sous roche, ou plutôt... couleuvre! Car c'est là qu'elle s'est réfugiée, la couleuvre du début! Mais elle échappe encore à Lupin et passe comme un trait sous la fente de la porte. Cette fois, pourtant, le petit serpent trouve plus vif que lui. Hop! Jasmine saisit la bestiole ondulante au passage.

— Que vas-tu en faire? demande l'institutrice.

Jasmine contemple l'animal captif un instant, puis le lac devant elle. Elle songe à cette grande masse sombre, quelque part au milieu des eaux. Tronc d'arbre englouti... ou reptile géant? Qui sait? Une chose est sûre, cependant, pour le petit reptile comme pour le grand :

— Il est bien mieux en liberté, dit-elle.

Sous le regard approbateur de madame Maria et de ses camarades, Jasmine relâche la couleuvre, qui va aussitôt se réfugier sous un tas de pierres.

Charles s'offre gentiment pour aller chercher ce pauvre Lupin, coincé à son tour dans le cabanon. En fait, il pense aussi récupérer une grosse araignée qu'il a capturée dans un paquet de cigarette vide... pour mettre un peu d'animation dans l'autobus qui les ramènera à la maison après ce camp mouvementé !

Pour en savoir plus...

Bien des gens croient à l'existence d'animaux encore inconnus. La recherche de ces bêtes cachées porte même un nom : la cryptozoologie.

On prétend que plusieurs lacs pourraient abriter une créature mystérieuse. Champ, au lac Champlain, mesurerait de 12 à 15 mètres de longueur et pèserait entre 1,5 et 2,5 tonnes. Au Québec, on pourrait aussi citer Memphré (au lac Memphrémagog) ou Ponik (au lac Pohénégamook) ; ailleurs, mentionnons Ogopogo (lac Okanagan, Colombie-Britannique) et l'illustre Nessie du Loch Ness, en Écosse. Sans compter d'autres créatures sur la terre ferme, comme le

Sasquatch humanoïde en Colombie-Britannique ou le fameux Yéti au Tibet.

Que penser de tout cela ? On a déjà découvert des animaux étonnants dans le passé, comme l'okapi ou le gorille de montagne. En 1938, on a pêché, au large de l'Afrique, un poisson que l'on croyait disparu depuis 65 millions d'années, le cœlacanthe. Plus récemment, une nouvelle baleine a été identifiée au large du Pérou ainsi qu'un bœuf inconnu dans les forêts montagneuses du Viêt-nam. On pourrait citer bien d'autres exemples…

Mais il faut au moins quelques centaines d'animaux pour qu'une population survive. Et à notre époque, il serait assez étonnant que tant de gros animaux passent inaperçus bien longtemps dans une région peuplée.

Plusieurs personnes croient avoir aperçu ces créatures. Peut-être que leur imagination leur joue des tours ? Les scientifiques restent sceptiques. Ils ont pensé à une autre explication, comme madame Maria : une monstrueuse seiche se cacherait au fond de certains lacs. Attention, on ne parle pas ici d'une sorte de pieuvre géante! Une seiche, c'est aussi le nom donné à un grand courant qui se forme sous l'action du vent et des écarts de température saisonniers, dans les lacs longs, étroits et profonds comme le lac Champlain (ou le loch Ness). Des sortes de vagues se déplacent au fond de l'eau, même si la surface semble calme. De temps en temps, cela fait remonter à la surface des objets immergés… comme des troncs d'arbre.

Alors, Champ et les autres « monstres », existent-ils ou non? On peut toujours rêver. Chose certaine, il y a encore des milliers de plantes, d'insectes ou de bestioles microscopiques à découvrir dans le monde. Sans aller si loin, pourquoi ne pas prendre le temps de « découvrir » la faune et la flore qui nous entourent? Au Québec, par exemple, on retrouve 21 espèces d'amphibiens (salamandres, grenouilles et autres) et 16 espèces de reptiles (tortues et couleuvres). Avis aux herpétologistes en herbe: combien en connais-tu?

TABLE DES MATIÈRES

1. Un intrus dans le dortoir 7

2. La bête légendaire 17

3. Apparition au crépuscule 25

4. Un pléiosaure! 33

5. Rencontre à l'aube 41

6. La dompteuse 45

7. Duel de monstres 53

Pour en savoir plus… 63

JEAN-PIERRE GUILLET

Jean-Pierre Guillet est professeur de biologie. Il n'est peut-être pas aussi séduisant que Grégory mais, comme madame Maria, il a souvent guidé ses élèves lors de randonnées d'observation en pleine nature. Jean-Pierre éprouve un plaisir monstre à observer les grenouilles, les reptiles et toute autre créature plus ou moins répugnante. Au lac Champlain, près de l'endroit où CHAMP aurait été photographié (???), Jean-Pierre a lui-même eu la chance de s'amuser avec trois petits monstres... ses (adorables!) enfants. La lecture d'un article scientifique sur la légende du monstre du lac Champlain lui a donné le goût d'en apprendre davantage sur le sujet. Il est heureux d'avoir pu partager ses trouvailles avec toi.

SÉSAME

Collection Sésame

1. **L'idée de Saugrenue**
   Carmen Marois
2. **La chasse aux bigorneaux**
   Philippe Tisseyre
3. **Mes parents sont des monstres**
   Susanne Julien
   (palmarès de la Livromagie 1998/1999)
4. **Le cœur en compote**
   Gaétan Chagnon
5. **Les trois petits sagouins**
   Angèle Delaunois
6. **Le Pays des noms à coucher dehors**
   Francine Allard
7. **Grand-père est un ogre**
   Susanne Julien
8. **Voulez-vous m'épouser,
   mademoiselle Lemay?**
   Yanik Comeau
9. **Dans les filets de Cupidon**
   Marie-Andrée Boucher Mativat

10. **Le grand sauvetage**
    Claire Daignault

11. **La bulle baladeuse**
    Henriette Major

12. **Kaskabulles de Noël**
    Louise-Michelle Sauriol

13. **Opération Papillon**
    Jean-Pierre Guillet

14. **Le sourire de La Joconde**
    Marie-Andrée Boucher Mativat

15. **Une Charlotte en papillote**
    Hélène Grégoire
    (prix Cécile Gagnon 1999)

16. **Junior Poucet**
    Angèle Delaunois

17. **Où sont mes parents ?**
    Alain M. Bergeron

18. **Pince-Nez, le crabe en conserve**
    François Barcelo

19. **Adieu, mamie !**
    Raymonde Lamothe

20. **Grand-mère est une sorcière**
    Susanne Julien

21. **Un cadeau empoisonné**
    Marie-Andrée Boucher Mativat

22. **Tibère et Trouscaillon**
    Laurent Chabin

23. **Le monstre du lac Champlain**
    Jean-Pierre Guillet